OFFICIAL

GEORDIE

COOK BOOK

Volume I

Posh Nosh

for

GEORDIES

Geordie Ink.

Bridge Studios
Northumberland
1989

First published in Great Britain in 1989
by Bridge Studios,
   Kirklands,
   The Old Vicarage,
   Scremerston,
   Berwick upon Tweed,
   Northumberland TD15 2RB.
   Tel: 0289 302658/330274

© Geordie Ink. 1989

ISBN 1 872010 15 6

Typeset by EMS Phototypesetting, Berwick
upon Tweed.

Printed by CP Offset Limited,
   Kellaw Road,
   Yarm Road Industrial Estate,
   Darlington,
   County Durham DL1 4YA.
   Tel: 0325 462315.
   Fax: 0325 462767.

INTRODUCTION

This is so's ye knaa it's a propor book. We thought of hevin a Dedication but we didn't knaa anybody that was deed. Not te speak te.

Anyways people hev been askin, well, Wor Bella, 'Hoo de ye get aall these recipes?' Well divvint think we thought em aall up, cos we didn't. Some of em are hysterical. They gan back te the myths (an misses) of Geordieland. Some of them gan back te the Stone Age. We knaa, the rock buns.

When the forst Geordie emorged from the primeval slime (Jarrer Slacks), he stuck oot his heed an shooted, 'By Aahm starvin'. It's gan aan from then.

For startors, it was aall worrd of mooth. A bit of this an a bit of that. Mainly that. Then they wus transliterated (by there's a worrd) on te parchment. Yuv hord of the Norse Sagas, well these were the Worse Sagas.

By 1066, ivry wan waas mad aboot tapestry. 'Bayeux Tapestry's aall reet'. Then came Mrs Beeton. They thought she was ganna be forst but she was Beeton. We knaa, it jus comes oot. [Publisher's Note: Pity].

Which brings us, subtly, te *Posh Nosh for Geordies*, a paradise for the palate. An dentures. Running, as it dus, the gamut of taste sensations from A te B.

The book, for waant of a bettor worrd, is deranged in three parts: *Startors*, *Middles*, an *Aftors*, so's ye can make up menus te fit —

Geordie à la Clarte. (Paris chefs claimed ye cud make a thoosand but there was ony 999. Trust the French te make a mille of it.) Mind, remembor, aall ovens are differont (ye shud see wor lass's) so temps an times are approx. Look oot if yors is fast. An yer oven.

Course ye can aalso vary the veg an taties. Peas for tornips, creamed for boiled. Sort of mix an mash. Or, put the whole lot in a stotty. As meat an two wedge. An in *Aftors*, there's plenty for Geordie's sweet tooth. That's aall he'll hev, if he scoffs that lot. Oh, aye, there's even *Potty Fowers* for aftor yer *Aftors*. Ye divvint knaa yer born.

So, that's *Posh Nosh for Geordies*. Summick for ivrybody. Summick aad, summick new, summick borrowed, but nowt blue. The odd bit of posh nosh (case ye gorra impress) but not *ower* posh. Aall tasty, an aall easy te de.

So, gan te it. An remembor, ye can aalways wash it doon wi Geordie Broon. If he's in, like.

TABLE OF CONTENTS
(For Content Tables)
Clivvor – ye divvint get that sorta thing in the Jornal

STARTORS

This bit's aall aboot tasty morsels. Wi the accent on the more.

A Geordie Blaa Oot's like a marathon, so yuv gorra be on yer mark wi the propor Startors. Undor Doctor's Hors-d'œuvres, like.

So get crackin (but ne crackin) wi . . .

GEORDIE TATIE SOUP
(It's soupor)

SORVES FOWER
1¼ lb (560g) tin of peas
1 large tatie – peel an dice
2 stock cubes (chicken preforred) – dissolve in
1 pint (that magic worrd) of hot wettor
(Oh, aye, that's 570 ml. Try askin for that doon the Club.)
salt an peppor

Bring the chicken stock te the boil an add the taties. Covor an simmor for aboot 10 minnits.

Storr in the tin of peas. Aye, open it forst. Yer not gonna be wan of them aakward beggors, are ye?

Add the salt an peppor an squaash the peas wi a fork or stick it in the blendor for fancy.

Reheat an eat.

STARTOR SALAD
(From the exotic Sooth. Gatesheed)

SORVES FOWER
4 large tomatoes – skin an slice
2 avocados – dice
1 tablespoon onion – chop fine
1 tablespoon parsley – chop fine

French Dressin
'Allo, 'Allo. Mind, we'll ony say this wance.
½ teaspoon salt
1 teaspoon sugor
½ teaspoon dry mustord
Groond peppor – use plenty
3 tablespoons salad oil (sunflower, soya, corn oil)
1 tablespoon wine vinegar

Forst, mix the dressin. De it well. Ne skimpin. Then the rest of the ingrediments. Storr it aall tegithor. Not store storr, storr storr. Yer not gannin off again are ye?

Mind, divvint currup the avocado ower soon, (de it just afores ye starts yer bait), cos it can gan peculior. Ithorwise, it's a piece of cake. Well, salad.

De it the forst time she brings hor young man roond. He'll be half-way doon the aisle.

5

DENTON BORN BEAN BROTH
(Easy but Pleasy)

SORVES FOWER
14 oz (400g) tin haricot beans – drain
9 oz (250g) tin tomatoes – chop
1 pt (570ml) tomato juice
½ pt (275ml) dry cider
or ye can use white wine
1 teaspoon chilli poodor
salt

Pour the tomato juice an cidor in te a saucepan. Shove in the beans an tomatoes an add salt an chilli poodor.

Heat it up slow like, an keep storrin. Ye usually de.

Mind, gan canny wi the poodor. Chilli? It's sizzlin.

HOT OR CAAD TUNA
(Have it for suppor or even suna)

SORVES FOWER
7 oz (200g) tin of tuna – drain an mash
4 tablespoons mayonnaise
1 tablespoon cream or creamy milk
2 oz (50g) cheese – grate
salt an peppor

Mix it aall up til ye like the look of it. (Gaad knaas whaat it thinks of ye.)

Spoon it in te fower little dishes or wan geet big wan an make it look propor wi a bit of parsley. That's if ye wanna sorve it caad.

If ye wanna sorve it hot (an mind, it's moothwettorin any road up), haad on te the parsley for a minnit. Jus sprinkle some more cheese ower the top an shove it in a moderate oven, ye knaa, 350°F. Oh aye, 180 (soonds like a darts match) °C. Thaat's reet, Gas Mark 4. The nummor of times yuv gorra tell some people.

Haad on, weor gerrin te it. 15 minnits. See, smarty.

Reet, when it comes oot, gan yer ends wi the parsley. Varry haute queasy.

Great wi a birra buttor.

MIDDLES

This is it. The main event an, being Geordies, weor gannin for fish forst. Then a bit of Chinese. The original junk food. Gerrit?

Remembor, some of the forst fishormen were Geordies. Aalways ahead of their Tyne.

Went aall ower. Far as the Hebrides. So knock em in the isles wi . . .

FISHY DISHY
(When the Bait Comes In)

SORVES FOWER

4 8-oz (225g) cod fillits	1 onion – chop
½ oz (10g) buttor or marge	1 large tin of peas
2 tomatoes	salt an peppor

Forst heat oven te 425°F, 220°C, Gas Mk 7.

Melt the fat in a bakin dish but divvint gerrit ower hot. Dip both sides of the fillits in the hot fat and then purrem in the dish.

Peel the tomatoes an take oot the pips. Aall reet, haad on. If ye canna be bothored, divvint bothor. Any roads, currem up an mix wi the onions.

Spread the mixture ower the cod an add peppor an salt. Bake for 15 minnits but divvint coverem.

Slingem on a plate wi hot peas an yer there!

CRUNCHY CRASTORS
(Crumbs theyor Crunchy)

SORVES FOWER
8 oz (225g) kippors – cook an flake
(Aalways gan for best Crastor kippors)
8 oz (225g) taties – cook an mash
1 oz (25g) buttor – soften
1 egg – beat
1 teaspoon chopped parsley
2 tablespoons broon breadcrumbs
salt an peppor
oil for fryin

Mix the kippor an taties in a birra buttor till it clags tegithor. Not squelchy, mind. Use some of the beaten egg as well, but save some for the crispy coatin bit.

Storr in the parsley an seasonin. Then divide it aall up in te little cakes. Squaashed up or flattened oot. We divvint mind. Any roads, aboot wan inch thick.

Dip em in the beaten egg and then the crumbs. Fry both sides in hot oil.

Hev em wi some salad. Varry tasty.

SALMON ROLY WI MUSHROOM SARSE

(Ye won't have mushroom aftor this lot)

SORVES FOWER
Scone Dough
8 oz (225g) self raisin flour
1 teaspoon bakin pooder
2 oz (50g) marge
1 beaten egg made up to ¼
pt (150 ml) wi milk

Fillin
8 oz (225g) tin salmon
2 teaspoons grated onion
pinch of salt
1 desortspoon chopped
parsley
Sarse
11 oz (300g) tin condensed
mushroom soup

Forst torn yer oven on te 200°C, 400°F, Gas Mark 6. Then rub the marge in te the flour till it gans aall crumbly. Fiddly, but yul jus hev te keep aan until it gans. Then storr in the egg mixture.

Slap it aroond a bit until it's wan big baall. Divvint gerrit sloppy.

Noo, roll it oot for scones, like. 8″ (20 cm) lang and ¼″ thick. (6.35 oh divvint bothor.)

Mix tegithor aall the fillin ingrediments and spread it aall ower the pastry. Roll it up like a Swiss Roll, put it on a bakin sheet an shove it in te the hot oven, (preheated, if ye wanna be technicaal), for aboot half an hour.

Sorve varry hot in slices wi a sarse jus

made by heatin the mushroom soup. Dollip in a desortspoon of sherry for special. Geordie'll luv it. He'll wanna swim upstream.

CHICK AN CHOW MAIN
(Ne relation to Porcy Main)

SORVES FOWER
1 lb (450g) cooked chicken, diced
½ pt (275ml) chicken stock
2 tablespoons corn oil
1 tablespoon soy sarse
1 level tablespoon cornflour
The follerin are sliced thin –
4 oz (110g) mushrooms
4 oz (110g) bean sproots
4 celery staalks
1 onion
The follerin are cut smaall –
1 green peppor
1 red peppor

Fry the onions, celery an mushrooms in hot oil until goldy broon.

Add the chicken wi the stock an simmor, gentle like, for 5 minnits.

Add the peppors an sproots. Not, Brussel sproots, the *bean* sproots. Yer not waandorin off, are ye?

11

Blend in, wharra way wi worrds, blend in the cornflour wi the soy sarse. Ne lumps, mind. Storr in te the pan and cook for 3 minnits.

Sorve wi rice or noodles. If yuv remembored te de em forst. Yer daft enough.

MINCE AN MATCH
(Great aftor the Match)

SORVES FOWER
1 lb (450g) mince
1½ lb (700g) sweet corn
(Gan for tins of bits, norra cob)
1 large tin tomato soup
2 large tatties
salt an peppor
fat for fryin

Heat the oven te 350°C, 180°F, Gas Mark 4.

Peel the tatties an slice em in te *matchsticks*. Aah knaa, it's morder but the result is strikin. Mind, ye get yer money's worrth in this book.

Gerra heavy fryin pan. Broon the mince in a birra fat an then hoy in the corn. (Bit like this writin.) Mind, divvint drain it forst. It aall adds te it.

Then hoy in the soup an tatties an add plenty of salt an peppor. Torn the lot oot in te a reelly greasy casselrole.

Cover an shove in the hot oven for aboot half an hour. He'll gan borsork for this wan.

GEORDIE BEEF AN BROON
(Reelly gan te toon)

SORVES SIX
(Get yer marras in or shove some in the freezor)
2½ lb (1125g) stewin steak
1½ oz (40g) flour
2 oz (50g) drippin
1 large onion
1 tablespoon tomato puree
1 tablespoon mild mustord
1 PINT NEWCASSEL BROON
salt an peppor

Heat the oven te 325°F, 170°C, Gas Mark 3.

Mix the flour wi salt an peppor. Cut the meat in te wan inch cubes an tossem in the flour.

Melt the drippin. Aah knaa, oil's new-fangled but drippin tastes bettor!

Broon the meat an onions, then storr in the tomato puree an mustord.

Blend in THE BROON (it blends in any-where) an add plenty of salt an peppor.

Bring te the boil an then transfor te a

casselrole. Cook for 2½ hours or till the meat's tendor.

Sorve wi the wine of the country. BROON.

LAMBTON WORMUP
(Wi leftower lamb)

SORVES FOWER
(3 if he's ower peckish)
8 oz (225g) cooked lamb – dice
1 lb (450g) taties – cook an cream
½ pt (275ml) onion sarse (use a packet)
4 tablespoons cooked peas
2 carrots – cook an slice
milk

Gerra flat ovenproof dish an spread the creamy taties aall ower – sides, edges, the lot.

Brush it wi milk an shove it in a hot oven. Aboot 400°F te broon it a bit. Aah knaa, 200°C, Gas Mark 6. Waatch oot mind, ye divvint waant a bornt offrin.

Sling the lamb an veg in te the onion sarse an heat through. Add seasonin te taste. Varry gourmet.

14

Slosh it aall in te the tatie case an posh it up wi a bit of chopped parsley.

Noat: ye can mark the taties wi a fork afore broonin in the oven. Aalways luks gud.

CORNED BEEF MASH
(That'll settle his hash)

SORVES FOWER
12 oz (350g) tin corned beef
6 oz (175g) taties – cook an dice
1 desortspoon grated onion
4 tablespoon tomato juice
2 teaspoon chopped parsley
1 smaall bag of crisps or dried breadcrumbs
1½ oz (40g) buttor
peppor
4 poached eggs (if ye waant te)

Forst heat yer oven te 180°C, 350°F, Gas Mark 4.

Mix ivrythin tegithor, wi a fork, cept the crisps (or crumbs) an the buttor. Then pack it aall in a reelly greasy cake tin (8″ or whaativor yuv got like).

Sprinkle the crisps or crumbs ower the top. Dot wi buttor and shove in the hot oven for aboot half an hour.

If yor extra famished, ye can poach 4 eggs an purrem on top an sorve wi baked beans. That'll finish him.

CIDOR BACON
(Gerrit?)

SORVES FOWER
1 smaall cabbage – wash an shred
12 oz (350g) streeky bacon – aall currup
1 cup cidor or stock
1 tablespoon cornflour – blend wi
2 tablespoons wettor
black peppor

Fry the bacon bits in a sarse pan. Add the cabbage an plenty of peppor. Storr.

Add cidor or stock an covor. Cook for aboot ten minnits.

Strain off the liquid an add it, slowlike, te the cornflour – mix till it's smooth. Reeelly smoooth.

Retorn te pan, heat slowlike an storr till thick. Like some we cud mention.

Ring the changes (gud book this) by addin a teaspoon of mashed up junipor berries, or haalf a wan of caraway seeds, when ye cook the cabbage. Gan aan, de yorsell a flavor.

PORKY PEAR LOAF
(When ye wanna pig it)

SORVES SIX
Fower, if the ootlaaws are comin. A reet porky pair.

1½ lb (700g) pork sausage meat
4 oz (110g) breadcrumbs
1 onion – chop
2 pears – peel, core an chop
2 teaspoon dried sage
2 smaall eggs – Beaton (Nah, wuv done that wan)
½ teaspoon dry mustord
salt an peppor

Mix aall this lot tegithor an pack it in a greasy two poond loaf tin.

Cook in a moderate oven, 375°F, 190°C, Gas Mark 5 for aboot 45 minnits. 0.75 hours, if weor gannin decimad.

Lerrit gan caad in the tin afore ploppin it oot on te a plate. Dead easy. Gis ye aall the time in the worrld. Te loaf.

CHEESY SALAD
(It desorves a ballad)

SORVES FOWER
1 large carton cottage cheese
1 smaall tin chunky pineapple – drain
2 large oranges – peel an split in te segments
4 oz (110g) seedless grapes – halve
1 carton mustard an cress

Mix the cheese an pineapple an then pile it up in the centor of a sorvin dish or jus a plate.

Then it's jus a marrer of gannin fancy wi the fruit. Orange the segments roond the centor an stick the grapes in the cornors. Then fill in wi bits of cress.

Push some pineapple bits in te the cheesy moond – if yuv remembored te haad on te a few. If not, divvint. See if we care.

AUF WIEDERSCHNITZEL, PET
(For a Continental Cook-in)

SORVES FOWER
1 lb (450g) shoulder pork – slice thin
4 oz (110g) oatmeal – medium
1 egg – beat an add salt an peppor

Forst flatten oot the pork wi a rollin pin. Makes em look biggor. Then dip em in the beat up egg.

Slap em in the oatmeal. Both sides, remembor, an fry em in hot fat for 5 minnits. Then slowlike, till tendor.

Sorve it for suppor. It's the wan he'll come home tea.

AFTORS
(Geordie Gets His Jest Dessorts)

If there's wan thing that Geordie likes, it's puddins. (Ye shud hear him on aboot hor doon the *Croon*.)

Like Napoleon said, 'An army marches on its stomach'. Ne wonder they lost. An Geordie'll march up for this lot.

By, this writin's positively poetic. Sort of combination Egon Ronay an Shakespeare that cud put on fowerteen poonds. (Killin two bards wi wan stone.)

BOILY BANANAS
(The sweet wi a peel)

Heat grill till aall red.

Put reep bananas (whole, divvint skinem) on a tin or fireproof dish.

Grill for aboot 8 te 10 minnits – till scorchin.

Pull off a strip of skin an eat we Geordie Jam or cream. Not the skin, the *banana*. Mind, we hope weor not wastin wor time. Aall this fenant an yer playin yorsell.

An wan thing mair, while weor aan. Theyor *varry* hot. So's waatch oot, or ye'll be the nana.

JAMFOOLERY
(Ye mousse try this)

1 lb (450g) Geordie Jam
2 oz (50g) castor sugor
3 egg whites
(They nivvor tell ye whaat te de wi the yellors)
¼ oz (5g) gelatine

MT (Gerrit?) jam in te mixin bowl an beat till it's gooey.

In anithor bowl (Well, ask hor next door), whisk egg whites till stiff. Pallatic. Add the sugor as ye gan alang.

Dissolve gelatine in a bit of hot wettor an storr in te jam.

Gentlelike, fold the egg whites in te yer creamy jam mixture. Aall done wi luv.

Pour in te glasses an leave in a caad place te set. Top wi cream or summick fancy.

Gan on, gi im wan. If ye divvint, he'll be nowt but a jam nuisance.

FROZZIN ASSETS
(Ice an Easy)

Like we said in the Introduction, some are included for hysterical reasons. This is wan of them. It's made wi Geordie Ice Cream.

Not many people knaa this but Geordie Ice Cream gans back te the Romans.

Brought it ower from Italy. Spread reet across the country. Roman aallower. The big wan was Hadrian's. Yuv hord of Waalls.

4 oz (110g) plain choc
2 oz (50g) corn flakes
1 tablespoon goldy syrup
1 family brick Neapolitan ice cream
(We telt ye it was Roman)
7" (18cm) flan ring on a sorvin plate

Grease ring.

Grate a bit of choc for decoratin.

Melt rest of choc wi the goldy syrup in a bowl ower hot wettor.

Storr corn flakes in te choclate.

Press mixture in te ring. Shape it up sides te make a flan, like.

Leave in fridge for 6 hours, minimum. Best ower neet.

Use a soup spoon to scoop ice cream in te case an sprinkle ower wi grated choc.

Eat forthwith. Even thordwith.

21

HOT FRUITY PUDDIN
(Anothor Guddin)

SORVES FOWER

Fruit salad (large tin)	1 oz (25g) flaky almonds
6 oz (175g) self-raisin flour	2 eggs
1 or 2 tablespoons sherry (Make it two)	4 oz (110g) best buttor
	3 tablespoons milk
	4 oz (110g) castor sugor

Drain the fruit. Ye can have the juice for breakforst. Varry Darras Haall.

Buttor an ovenproof dish (ye'd be daft dein the ithor kind) an set the oven at 375°F, 190°C, Gas Mark 5, wi a centor shelf. Ye divvint have to think of a thing.

Cream buttor an sugor till aall light an fluffy. Beat in eggs. Wan at a time. Divvint gan borsork.

Storr in sifted flour, addin a bit of milk noo an then.

Spoon fruit in te buttored dish an sprinkle on sherry. If he's oot, have wan. Steady yer norves.

Spread the mixture ower the fruit. Top wi them flaky almonds an bake till goldy broon, an aall soft an springy te the touch. Soonds like an advort. Could tek thorty, thorty-five minutes.

Like we said, it serves fower but not if Geordie gets there forst.

HONEY HINNY
(Ye mousse be yolkin)

SORVES FOWER

1½ oz (40g) plain choc	⅛ oz (3g) gelatine
2 tablespoons runny	1 tablespoon wettor
honey	2 eggs

Melt choc in a basin ower hot wettor. Leave till caad. Well, luke caad.

Meanwhile, (soonds like wan of them soppy stories), separate the yolks an whites with wan of them fiddly things. Gaad knaas where it is.

Beat the yolks an honey till creamy. Then add te the choc.

Dissolve gelatine in the wettor ower a gentle flame. (Aah knaa, like Geordie's forst. A reet streak of drippin was that wan.) Course, if yuv gan electric yul be at 120°C. Varry High West Jesmond.

When caad, add te mixture. Then beat the whites until stiff as owt an fold in. Pour in te fower glasses.

Decorate wi grated choc an keep caad till set. Scoff.

NUTTY SLACK
(Crunchy Crescents)

6 oz (175g) marge
2 oz (50g) best buttor
3 oz (75g) castor sugor
8 oz (225g) plain flour
2 oz (50g) chopped nuts

2 smaall teaspoons vanilla
essence
(Divvint ower de it)
Greaseproof paper or that
aluminum foil stuff

Measure oot marge an buttor in te a mixin bowl.

Cream till aall fluffy.

Add 2 teaspoons hot wettor an add the vanilla essence.

Storr in flour an chopped nuts.

It'll be aall soft. Wraap it in greaseproof or foil an leave in fridge for 2 te 3 hours till it's form.

Set oven at 325°F, 170°C, Gas Mark 3. (By yer gerrin yor money's worth.)

Put some flour on a board. Not ower much but get some on yor mitts. Roll oot bits of dough in te lengths. Boot fower inches, ten cillimetors. De it aan the board wi yor palms. Corve em in te crescents.

Purrem on greasy bakin trays.

Bake for 15 minnits till form an light broon. That's an ideor. Hev wan.

Cool for 5 minnits. Roll in icin sugor. The *crescents*, ye geet nana.

TOAST EGGSQUISITE
(The best thing since sliced bread)

Sliced bread
Egg(s)
Apricot jam or try some honey
Unsalted buttor
Milk

Te each beaten egg add wan tablespoon of milk. (Try wan an see hoo ye get aan.)

Dip a slice in the mixture an fry in unsalted buttor till goldy broon.

Sorve wi jam or honey.

Tell em aboot em aftor.

CHOCKY PEAR CRUNCH
(Sorve aftor lunch)

8 oz (225g) plain chocky bickies
(Them suggestive wans)
2 oz (50g) buttor
1 level teaspoon cornflour
Whipped cream te decorate
Pear halves (large tin)
7″ (18cm) flan ring

Drain pears. Or singly.

Crunch biscuits wi a rollin pin, brick,

hammor, owt. We knaa, hammor out. Whaat's known as natural wit. Well, 0.5.

Melt buttor in a large sarsepan. Then storr biscuits in te the liquid buttor.

Torn mixture in te flan ring an press doon.

Leave in a caad place te set. (Like hor Ma's.)

Make the syrup from the pears up te ¼ pint (150ml) wi wettor.

Blend (varry Home Economics) the corn-flour wi a little of the wettory syrup an then add the rest. Bring te the boil.

Storrin aall the time, simmor for 2 te 3 minnits.

Torn oot the biscuit base on te a plate an stick the pears on top.

Wi the thickened syrup, make the pears aall claggy on top an then gi it a dollop of whipped cream.

Show it te hor across the street. She'll be livid.

POTTY FOWERS

Them's them fiddly bits they gi ye when theyor gonna bring the bill.

These divvint take ne dein but luk gud. Purrem in a yer mithor's cut crystal for a touch of glass.

GEORDIE JIM-JAMS
(For aftor yer Aftors)

2 oz (50g) castor sugor
2 oz (50g) buttor
2 oz (50g) groond almonds
Geordie Jam or cherries te decorate
Bit of lard or salad oil
Bon Bon cases (Ye knaa, them sweetie papors)

Set oven for 325°F, 170°C, Gas Mark 3.

Brush oot cases wi melted lard or a drop of oil. Not te much. Divvint waant em swimmin.

Purrem on a bakin tray.

Mix ingrediments in bowl an beat like the clappors.

Drop wan teaspoon of mixture in te each case an bake for aboot 15 minnits.

When caad, aadd a drop of Geordie Jam or a cherry.

Gans doon a treat.

GEORDIE TRUFFLES
(Rum for wan mair?)

4 oz (110g) grated chocky bits or ye can use cocoa
poodor
2 oz (50g) unsalted buttor
2 fl oz (55ml) double cream
7 tablespoons icin sugor
2 tablespoons hazel nuts – roasted an groond
1 tablespoon rum (Gan canny, ye divvint waant
the pollis roond)

Melt choc, buttor an cream aaltegithor till
smooth. Smooth as a babby's elbow, or
Geordie's chin when he's gannin doon the
Club.

Off the heat, beat in sugor until smooth.
(See above.) Then add nuts an rum, storrin
well. (Get yor Ma on, she's a good storror.)

Leave mixture to form up. Aboot fower
hours in the fridge. (Well, ask if ye can use
hor's next door. She's aalways swaankin
aboot it.)

When form enough te handle, roll tea-
spoonfuls in te baalls and covor wi the
chocky bits or cocoa. Purrem in them smaall
papor cups. By they look posh.

Then purrem in the fridge. If yer still
speakin.

Take oot wan hour afore eatin. If ye can
wait that lang. Geordie canna.

COCONUT NEW CASSELS
(Called that cos they Keep)

Sweetened condensed milk (smaall tin)
8 oz (225g) desicrated coconut
1 teaspoon vanilla essence

Set oven at 350°F, 180°C, Gas Mark 4, an grease a bakin tray. *Reeelly greeesy.*

Empty the condensed in te a mixin bowl. Add vanilla, then the coconut.

Drop teaspoonfuls of mixture on te tray, wan inch apart. We knaa, 2.5cm. Mind, there was none of this metric gan on afores Marks went aall croyssants.

Bake for 10 minnits till aall goldy. Then gerrem off the tray pronto. DIVVINT DITHOR. Cool em on a wire tray.

Maarvellous keepors. If ye divvint eatem.

**REET, THAT'S *GEORDIE NOSH*
NOO, GAN TE IT AN HAVE
A *GEORDIE* BLAA OOT**